ATLANTI
GRILL

Coloriage: PETRA

MCMXCIX

DIX-HUITIÈME ÉDITION

Dépôt légal d/1999/0086/315
ISBN 2-87129-000-8

Imprimé par Proost en septembre 1999

ABE!... LE DÉJEUNER EST PRÊT!
O.K., J'ARRIVE.
OUILLE!... AVEC UN PEU MOINS DE SCIATIQUE ET UN PEU PLUS DE POISSONS, LA VIE SERAIT TOUT À FAIT SUPPORTABLE.
AH, TE VOILÀ, TOI! JAMAIS EN RETARD POUR LA SOUPE, HEIN ?...
MAIS QU'EST-CE QUE TU VEUX, PRONTO? QU'EST-CE QUE TU AS ENCORE DÉNICHÉ? SI C'EST UNE MOUETTE CREVÉE COMME L'AUTRE JOUR...
BON, D'ACCORD, JE TE SUIS. MAIS JE TE PRÉVIENS QUE LA PATRONNE VA NOUS...
W. VANCE

TU... TU CROIS QU'IL VIT ENCORE?
SON POULS BAT, SALLY. TRÈS FAIBLEMENT, MAIS IL BAT.
LÀ... SUR LE CANAPÉ...
OUILLE! IL PÈSE SON POIDS, CE PAUVRE TYPE... JE PRÉVIENS LA POLICE ?
IL A D'ABORD BESOIN D'UN DOCTEUR, ABE. POUR LA POLICE, ON VERRA PLUS TARD. VA CHERCHER MARTHA.
MARTHA? MAIS...
JE SAIS, MON CHÉRI. MAIS MARTHA A ÉTÉ MÉDECIN. ET IL N'Y A PAS D'AUTRE DOCTEUR À 50 KM À LA RONDE.
D'ACCORD, J'Y VAIS.
FAIS VITE. PENDANT CE TEMPS, JE VAIS ESSAYER DE LE DÉSHABILLER.
TU T'EN SORTIRAS, MON PETIT GARS. BATS-TOI, ACCROCHE-TOI À LA VIE, ET TU T'EN SORTIRAS, TU VERRAS...
TIENS... QU'EST-CE QUE C'EST QUE ÇA?...
XIII

AH, MARTHA...
B'JOUR, SALLY. COMME VOUS VOYEZ J'AI AMENÉ TOUS MES FONDS DE TIROIR...
MMH... L'EAU DE MER A CAUTÉRISÉ LA PLAIE ET IL N'A PAS PERDU TROP DE SANG. ET HEUREUSEMENT POUR LUI LA BALLE EST RESSORTIE SANS FAIRE EXPLOSER TOUTE LA BOÎTE CRÂNIENNE...
LA BALLE !?
DÉSOLÉE POUR VOTRE DÉJEUNER, ABE, MAIS JE VAIS AVOIR BESOIN DE CETTE TABLE. AINSI QUE D'UNE PAIRE DE CISEAUX, D'UN RASOIR, D'UN GRAND POT DE CAFÉ ET DE BEAUCOUP D'EAU BOUILLANTE.
JE M'EN OCCUPE.
MARTHA...
VOUS... JE VEUX DIRE... ÇA IRA ?
EXPRIMEZ-VOUS FRANCHEMENT, SALLY. VOUS VOULEZ SAVOIR SI J'AI DÉJÀ BU QUELQUES-UNS DE MES VINGT WHISKIES QUOTIDIENS, C'EST ÇA ?
RASSUREZ-VOUS, MA CHÈRE. VOTRE NAUFRAGÉ N'A PAS BEAUCOUP DE CHANCES DE S'EN TIRER, MAIS LA MOINS MAUVAISE D'ENTRE ELLES EST QU'À CETTE HEURE-CI DE LA JOURNÉE, JE SUIS GÉNÉRALEMENT À JEUN.

TU CROIS QU'IL S'EN SORTIRA, ABE?
MARTHA A ÉTÉ UN GRAND CHIRURGIEN, MA CHÉRIE.
OUI. A ÉTÉ.
IL S'EN SORTIRA.
EN ATTENDANT, TU DEVRAIS... IL FAUDRAIT PRÉPARER LA CHAMBRE...
TU AS RAISON. J'Y VAIS.
ABE
MARTHA !... ALORS ?...
IL NE VOUS RESTERAIT PLUS UN PEU DE CAFÉ ?
J'AI FAIT CE QUE J'AI PU, ABE. LES OS DU CRÂNE SE RESSOUDERONT D'EUX-MÊMES AVEC LE TEMPS. MAIS CE SONT LES LÉSIONS DU CERVEAU QUI M'INQUIÈTENT.
PHYSIQUEMENT IL VIVRA, OUI. MAIS PERSONNE AU MONDE NE POURRAIT DIRE DANS QUEL ÉTAT.
4

VOUS NE VOULEZ VRAIMENT PAS UN WHISKY?
NON.
ÇA VOUS ÉTONNERA PEUT-ÊTRE, MAIS JE N'EN AI AUCUNE ENVIE. VOUS AVEZ TROUVÉ QUELQUE CHOSE?
NON, AUCUN PAPIER, PAS MÊME UNE PIÈCE DE MONNAIE...
RIEN QUE CECI. C'ÉTAIT COUSU DANS LE COL DE SA CHEMISE.
UNE YALE, COMME IL Y EN A DES DIZAINES DE MILLIONS.
IL Y A AUSSI CE CURIEUX TATOUAGE... VOUS L'AVEZ VU, BIEN SÛR...
OUI, JE L'AI VU. LE CHIFFRE XIII. MAIS LES MARINS ONT TOUJOURS AIMÉ SE FAIRE TATOUER.
SI C'EST UN MARIN... CETTE BLESSURE PAR BALLE... NOUS DEVRIONS AVERTIR LA POLICE, NON?
VOUS SAVEZ BIEN QU'À PRÉSENT C'EST IMPOSSIBLE, ABE. TOUT LE MONDE SAIT QUE J'AI ÉTÉ RADIÉE POUR ALCOOLISME. CE QUE J'AI FAIT AUJOURD'HUI S'APPELLE EXERCICE ILLÉGAL DE LA MÉDECINE.
CE QUE VOUS AVEZ FAIT S'APPELLE SAUVER UNE VIE HUMAINE, MARTHA.
IL S'EST RÉVEILLÉ?
OUI. IL EST ENCORE SOUS LE CHOC, MAIS IL M'A PARLÉ. SEULEMENT...
SEULEMENT?...
SEULEMENT, IL N'A MÊME PAS PU ME DIRE SON NOM. ON DIRAIT QU'IL A COMPLÈTEMENT PERDU LA MÉMOIRE!!
W. VANCE
5

UN PEU DE PATIENCE, ALAN. J'AI PRESQUE FINI.
VOUS VOILÀ EN PLEINE FORME, MON PETIT VIEUX ! IL FAUT DIRE QUE J'AI RAREMENT VU UNE CONSTITUTION PHYSIQUE AUSSI SOLIDE QUE LA VÔTRE : DU VRAI BÉTON.
MERCI, MARTHA.
EN PLEINE FORME, OUI... SAUF QUE CE VISAGE QUE JE REGARDE DEPUIS DEUX MOIS RESTE CELUI D'UN INCONNU.
CETTE MÈCHE BLANCHE... C'EST DÉFINITIF ?
DÉFINITIF. LA BALLE A DÉTRUIT LA PIGMENTATION À L'ENDROIT DE L'IMPACT...
MAIS JE NE M'EN FERAIS PAS TROP POUR ÇA, ÇA AJOUTERAIT PLUTÔT À VOTRE CHARME. ON S'OFFRE UNE PETITE BALADE ? JE MEURS D'ENVIE DE MANGER DES COQUILLAGES.
D'ACCORD, LE TEMPS DE PRENDRE UN COUTEAU...

POURQUOI ABE ET SALLY, M'ONT-ILS APPELÉ ALAN, MARTHA? C'ÉTAIT LE NOM DE LEUR FILS, N'EST-CE PAS?
DE LEUR FILS UNIQUE, OUI-ILS N'EN PARLENT JAMAIS-
IL EST MORT LOIN D'ICI, À LA GUERRE- C'ÉTAIT UNE SALE GUERRE, ALAN- UNE GUERRE QUE NOUS NE COMPRENIONS PAS ET QUI A TUÉ DES MILLIERS D'AUTRES JEUNES COMME LUI-
ET PUIS, VOUS AVEZ SURGI DANS LA VIE D'ABE ET DE SALLY, BLESSÉ, FAIBLE, AYANT BESOIN D'EUX. ILS ONT TOUT NATURELLEMENT REPORTÉ LEUR AFFECTION FRUSTRÉE SUR VOUS. COMME SUR...
COMME SUR UN BÉBÉ, C'EST ÇA QUE VOUS VOULIEZ DIRE?
UN BÉBÉ ADULTE, SANS SOUVENIRS, SANS FAMILLE, SANS AMIS, SANS PASSÉ, SANS IDENTITÉ, SANS RIEN! J'AI BEAU ME TORTURER À FOUILLER MA MÉMOIRE, JE NE VOIS QUE DU BLANC. UN BLANC UNIFORME, IMMENSE, TOTALEMENT VIDE!
MARTHA, Y A-T-IL UNE CHANCE, UNE SEULE, QUE JE RETROUVE UN JOUR MES SOUVENIRS?
C'EST POSSIBLE, ALAN. MAIS HONNÊTEMENT, JE N'EN SAIS RIEN-
POURTANT, JE SAIS PARLER, LIRE, ÉCRIRE... JE SAIS CE QUE C'EST QU'UNE VILLE, UN TRAIN, LE TÉLÉPHONE, LA TÉLÉVISION... JE SAIS CONDUIRE UNE VOITURE ET FAIRE UNE ADDITION...
TOUT CELA FAIT PARTIE DE VOTRE MÉMOIRE COLLECTIVE ET DES RÉFLEXES ACQUIS, MON VIEUX...
JE VAIS ESSAYER DE VOUS EXPLIQUER TOUT ÇA SANS ÊTRE TROP TECHNIQUE— BON, ON LES MANGE, CES COQUILLAGES?
W. VANCE

LA BALLE QUI VOUS A BLESSÉ A TRAVERSÉ LES RÉGIONS FIBREUSES DU THALAMUS ET DU CORTEX CÉRÉBRAL, ENDOMMAGEANT AU PASSAGE LE SYSTÈME LIMBIQUE OÙ SE TROUVE LE SIÈGE DE LA MÉMOIRE...
AJOUTEZ À CELA L'ÉTAT DE CHOC ET LA TENSION ÉMOTIONNELLE QUI ONT PROVOQUÉ UNE FORME D'APHASIE MENTALE. CETTE TENSION S'ÉTANT PROGRESSIVEMENT RÉDUITE PENDANT VOTRE CONVALESCENCE, VOUS AVEZ RETROUVÉ L'USAGE DE VOS RÉFLEXES ET DE CE QUE J'AI APPELÉ VOTRE PART DE MÉMOIRE COLLECTIVE...
MALHEUREUSEMENT, LA LÉSION PHYSIQUE, ELLE, EST RESTÉE. ANNIHILANT LA ZONE DE VOTRE MÉMOIRE INDIVIDUELLE, CELLE OÙ SONT ENGRANGÉS VOS SOUVENIRS PERSONNELS.
ET CETTE ANNIHILATION SERAIT... IRRÉVERSIBLE ?
C'EST IMPOSSIBLE À DIRE, ALAN. LES MILLIARDS DE CELLULES DU CERVEAU FORMENT UNE MOSAÏQUE INFINIMENT COMPLEXE QUI, POUR NOUS, EST ENCORE "TERRA INCOGNITA"...
PEUT-ÊTRE, AU HASARD D'UN CHOC, LA MÉMOIRE VOUS REVIENDRA-T-ELLE D'UN SEUL COUP. OU PAR BRIBES. OU PAS DU TOUT.
ALORS, JE RISQUE DE NE JAMAIS SAVOIR ?.. CETTE BLESSURE PAR BALLE, CE TATOUAGE... QUI SUIS-JE, MARTHA ? UN FLIC ? UN GANGSTER ? UN AGENT SECRET ? UN MERCENAIRE ? OU UN SIMPLE TOURISTE DÉVALISÉ PAR DES TRUANDS ?
QUI SUIS-JE, BON SANG !?
W. VANCE
J'AI PROBABLEMENT DES PARENTS QUELQUE PART, UNE FEMME ET DES ENFANTS QUI M'ATTENDENT, DES AMIS QUI S'INQUIÈTENT, ET JE NE PEUX RIEN FAIRE.
RIEN ! RIEN !
CALMEZ-VOUS, MON VIEUX.
8

JE VOUS COMPRENDS, CROYEZ-LE. MAIS VOUS N'ÊTES PAS TOUT À FAIT SANS AMIS... NI SANS FAMILLE. ABE ET SALLY VOUS AIMENT DÉJÀ TANT.
C'EST VRAI, ILS SONT ADORABLES, MAIS...
MAINTENANT QUE VOUS ÊTES PHYSIQUEMENT RÉTABLI, NOUS ALLONS NOUS METTRE À LA RECHERCHE DE VOTRE PASSÉ. JE VAIS VOUS Y AIDER, ALAN.
POURQUOI? JE VOUS DOIS DÉJÀ TELLEMENT, MARTHA.
BAH, J'AI TOUT MON TEMPS. ET JE VOUS DOIS ÉGALEMENT QUELQUE CHOSE: DEPUIS QUE JE M'OCCUPE DE VOUS, JE N'AI PLUS TOUCHÉ À UN SEUL VERRE DE WHISKY. J'AIMERAIS PROLONGER MA CURE.
ET PUIS, MOI AUSSI, JE VOUS AIME B... ALAN! QU'EST-CE QU'IL Y A!?
PRONTO! QUELLE HORREUR! QU'EST-CE QUI?...
À TERRE, VITE!!
BANG
BANG
9

TU L'AS EU?
SAIS PAS. JE VAIS VOIR.
FAIS GAFFE TOUT DE MÊME...
TU RIGOLES? L'EST MÊME PAS ARMÉ, CE MEC.
HÉ! IL...
BANG! BANG!
CHUCK!
CHUCK, BON SANG, QU'EST-CE QUE TU FOUS!?
OÙ IL EST PASSÉ, CE SALAUD?...

!?

TOI, PAUVRE CAVE, TU VAS APPRENDRE CE QUE C'EST QU'UN VRAI PRO!...

BANG
BANG
BANG
BANG

?!!
W. VANCE

COUCOU!

11

ET MAINTENANT, CRACHE, ORDURE! QU'EST-CE QUE TU NOUS VEUX? QUI T'A ENVOYÉ?
ARRÊTE, OU JE...
...JE...
12

ALAN ! VOUS ÊTES BLESSÉ ?!
C'EST OKAY, MARTHA . GRÂCE À VOUS, J'AI LE CRÂNE SOLIDE .
MARTHA... ET ABE ?... SALLY ?...
ÉCOUTEZ, ALAN, JE DOIS VOUS...
ALAN !
ILS N'ONT PAS SOUFFERT, VOUS SAVEZ. ILS... ILS ONT ÉTÉ TUÉS PENDANT LEUR SOMMEIL...
D'AUTRES TUEURS VONT VENIR, ALAN. VOUS DEVEZ PARTIR D'ICI. VITE.
MAIS POURQUOI, MARTHA ? POURQUOI !?
À CAUSE DE VOUS, BIEN ENTENDU. C'ÉTAIT VOUS QUE CES HOMMES VOULAIENT ABATTRE !
13

JE PRÉVIENDRAI LA POLICE DÈS QUE VOUS SEREZ PARTI. JE LEUR FERAI BIEN AVALER UNE HISTOIRE QUELCONQUE.
VOUS TROUVEZ QUELQUE CHOSE?
NON. AH, SI... ON DIRAIT UNE PHOTO...
OH, MON DIEU!...
IL L'AVAIT SUR LUI POUR VOUS IDENTIFIER, C'EST ÉVIDENT. DONC, CES DEUX HOMMES NE VOUS CONNAISSAIENT PAS.
QUANT À CETTE JEUNE FEMME... ELLE EST BELLE. QUI EST-CE?
COMMENT VOULEZ-VOUS QUE JE LE SACHE, MARTHA.
ELLE PEUT ÊTRE MA FEMME, MA SOEUR, UNE AMIE... SON VISAGE NE ME RAPPELLE RIEN... COMME LE RESTE.
ALAN, REGARDEZ...
IL Y A LE NOM DU PHOTOGRAPHE DERRIÈRE.
PHOTO-CINE
BARNES
722, 23d street
-EASTOWN-
C'EST QUOI, ÇA, EASTOWN?
UNE GRANDE VILLE SUR LA CÔTE, À ENVIRON 600 KM D'ICI.
ALORS, C'EST PAR EASTOWN QUE JE COMMENCERAI. LA BAGNOLE D'ABE RÉUSSIRA BIEN À M'EMMENER JUSQUE-LÀ.
MAIS VOUS RISQUEZ DE VOUS JETER EN PLEIN DANS LA GUEULE DU LOUP!
C'EST EXACTEMENT CE QUE J'ESPÈRE, MARTHA. C'EST LE SEUL MOYEN DE SAVOIR **QUI** EST CET HOMME QU'ON CHERCHE À TUER!
14

JE VOUS AI PRÉPARÉ QUELQUES SANDWICHES, UNE CARTE ROUTIÈRE ET UN PEU D'ARGENT. QU'EST-CE QUE... COMMENT COMPTEZ-VOUS PROCÉDER, ALAN ?
JE NE SAIS PAS ENCORE, MARTHA. COMME LES DÉTECTIVES DE ROMAN POLICIER, JE SUPPOSE. À CETTE DIFFÉRENCE PRÈS QU'ICI, L'ENQUÊTEUR ET CELUI QU'IL RECHERCHE SERONT UNE SEULE ET MÊME PERSONNE...
UN TATOUAGE, UNE CLÉ, UNE PHOTO ET LA CERTITUDE QUE DES TUEURS SONT SUR MA TRACE POUR M'ABATTRE. C'EST À LA FOIS PEU ET BEAUCOUP POUR TROUVER UNE PISTE.
VOUS OUBLIEZ UN ÉLÉMENT IMPORTANT, ALAN: VOUS AVEZ APPRIS À VOUS BATTRE COMME... COMME UN PROFESSIONNEL.
ERNIE BURNS & SON
TRAVEL MAP
JE NE L'AVAIS PAS OUBLIÉ, MARTHA. CELA FAIT **AUSSI** PARTIE DES CHOSES QUE JE DOIS DÉCOUVRIR. ET CE N'EST PAS CE QUI M'EFFRAIE **LE** MOINS.
J'AURAIS AIMÉ RESTER POUR L'ENTERREMENT D'ABE ET DE SALLY, MARTHA. ET PUIS... SI CES SALAUDS REVENAIENT...
NE VOUS FAITES PAS DE SOUCI, MON PETIT VIEUX. QUI S'INTÉRESSERAIT À UNE VIEILLE POIVROTE, COMME MOI, HEIN ?
W. VANCE
15

VOUS N'ÊTES PLUS UNE POIVROTE, DOCTEUR. ET VOUS N'ÊTES PAS VIEILLE DU TOUT.
TARATATA... JE ME SENS VIEILLE, GROSSE ET MOCHE...
...MAIS JE VOUDRAIS TOUT DE MÊME QUE VOUS M'EMBRASSIEZ AVANT DE PARTIR, ALAN.
BONNE CHANCE, XIII !
16

JE PENSAIS QU'IL Y AVAIT UN PHOTOGRAPHE, ICI...
OUAIS, Y AVAIT. MAIS LE VIEUX BARNES EST MORT IL Y A DEUX MOIS. J'AI REPRIS SA BOUTIQUE EN LA TRANSFORMANT UN PEU.
DEUX MOIS...
ONE WAY
STOP
italian PIZZA
JIMMY'S TAKE AWAY PIZZAS - HOT DOGS - HAMBURGERS - BAR-BQ
ÇA A L'AIR DE VOUS FAIRE UN COUP, DITES DONC. C'ÉTAIT UN COPAIN À VOUS ?
NON, NON, C'EST SANS IMPORTANCE... MERCI.
WALK
ELECTRO TOYS
RECOR
I need

EAST CHRONICLE
LE RÉDACTEUR DE SERVICE? BUREAU 32, AU 5e.
MERCI.
MR. WAYNE?
DÉSOLÉ, JE NE PENSAIS PAS VOUS FAIRE SURSAUTER. JE VOULAIS SIMPLEMENT SAVOIR SI VOTRE JOURNAL TENAIT UNE RUBRIQUE DES PERSONNES DISPARUES.
IL Y A UN SERVICE POUR ÇA À LA MUNICIPALITÉ, MON VIEUX...
WAYNE
C'EST À DEUX BLOCS D'ICI, DANS LA 54e RUE. ET LA FILLE QUI S'EN OCCUPE EST TOUT CE QU'IL Y A DE PLUS SYMPA.
VOUS ÊTES BIEN AIMABLE. EXCUSEZ-MOI ENCORE POUR LE CAFÉ.
WAYNE
HEMMINGS?... WAYNE. T'AS INTÉRÊT À T'ASSEOIR, MON GROS. DEVINE QUI VIENT DE SORTIR DE MON BUREAU! ...LE PÈRE NOËL EN PERSONNE!
18

BIEN SÛR QUE VOUS POUVEZ CONSULTER NOS FICHES, ELLES SONT LÀ POUR ÇA. DISPARU DEPUIS UN PEU PLUS DE DEUX MOIS, VOUS DITES?...
C'EST BIEN ÇA. UN HOMME DE RACE BLANCHE ENVIRON TRENTE ANS, GRAND, CHEVEUX BRUNS...
1779
BREF, UN TYPE DANS VOTRE GENRE?
SI ON VEUT...
CE SERAIT PLUS SIMPLE SI VOUS CONNAISSIEZ LE NOM ET L'ADRESSE DE VOTRE BONHOMME. NOUS COLLATIONNONS LES AVIS DE RECHERCHE EN PROVENANCE DES QUATRE COINS DU PAYS, ET ÇA FAIT UN SACRÉ PAQUET, CROYEZ-MOI.
IL Y A DES DIZAINES DE PERSONNES QUI DISPARAISSENT CHAQUE JOUR, DANS CE PAYS. COMME ÇA, PFUIT, ENVOLÉES! À CROIRE QU'ELLES SONT DÉSINTÉGRÉES PAR DES MARTIENS. ET C'EST JOE QUI DIGÈRE TOUS LEURS SIGNALEMENTS...
JOE, C'EST NOTRE ORDINATEUR-MAISON. SEULS LES DISPARUS D'EASTOWN MÊME ONT DROIT À DES FICHES MANUELLES AVEC PHOTO. VOUS POURREZ LES CONSULTER AUSSI, SI VOUS VOULEZ.
VOILÀ, JE VOUS AI PROGRAMMÉ SUR LA PÉRIODE QUI VOUS INTÉRESSE. VOUS POURREZ VOUS EN TIRER?
JE CROIS, OUI. MERCI.
19

DING-DONG, IL EST 6H, ON FERME ! VOUS AVEZ TROUVÉ CELUI QUE VOUS CHERCHIEZ ?
NON, PAS ENCORE. JE PEUX REVENIR DEMAIN ?
BIEN SÛR. DITES-MOI, VOUS CONNAISSEZ LA VILLE ?
NON.
TOWN HALL
ALORS, J'AI UNE PROPOSITION HONNÊTE À VOUS FAIRE : JE VOUS INDIQUE UN CHOUETTE RESTAU ET VOUS M'INVITEZ À DÎNER, OKAY ?
C'EST GENTIL, MAIS PAS CE SOIR. J'AI ROULÉ TOUTE LA NUIT ET J'AI BESOIN DE SOMMEIL. À DEMAIN.
PFFFT... POSEUR, VA !
WALK
ATLANTIC HOTEL
ATLANTI
HOTEL
OUAIS, IL ME RESTE UNE CHAMBRE AU DERNIER ÉTAGE. Y A PAS D'ASCENSEUR ET ON PAIE D'AVANCE.
OPEN
W. VANCE
20

BONJOUR.
B'JOUR. VOUS AVEZ BIEN DORMI, J'ESPÈRE?
COMME UN LOIR. EXCUSEZ-MOI POUR HIER, MAIS J'ÉTAIS RÉELLEMENT CREVÉ. PAR CONTRE, SI VOUS ÊTES ENCORE LIBRE CE SOIR...
BON SANG! VOUS PERMETTEZ?
C'EST ELLE! C'EST BIEN ELLE!
C'EST UN AVIS QUI VIENT DE NOUS ARRIVER. MAIS, JE CROYAIS QUE C'ÉTAIT UN TYPE QUE VOUS RECHERCHIEZ...
PARCE QUE ÇA, AU CAS OÙ VOUS AURIEZ OUBLIÉ VOS LUNETTES, C'EST UNE BONNE FEMME.
J'AI REMARQUÉ, MERCI... KIM ROWLAND, 28 ANS, VEUVE DU CAPITAINE STEVE ROWLAND, DOMICILIÉE AU 612 DE LA 17e RUE, DISPARUE DEPUIS LE...
DITES, POUR CE SOIR...
SLAM
C'EST MALIN! J'ESPÈRE QUE VOUS ÊTES CONTENT, LIEUTENANT?
DIX SUR DIX, MA COCOTTE! T'AS FAIT JUSTE COMME IL FALLAIT.
NE PLEURE PAS TROP POUR TON RENCARD LOUPÉ. JE VEUX BIEN PARIER MES CHAUSSETTES QUE CE SOIR, IL N'AURA PLUS TRÈS FAIM, TON PRINCE CHARMANT...
21

ON Y EST, PAPA... 612, 17e RUE.
VAIS-JE ENFIN SAVOIR ?
QUITTE OU DOUBLE...
GAGNÉ !
IL Y A QUELQU'UN ?
AI-JE VÉCU DANS CETTE MAISON? CE DÉCOR NE ME RAPPELLE RIEN : TOUJOURS CE MAUDIT VOILE BLANC !
LE SALON PEUT-ÊTRE...
?!?
22

OU BIEN, Mme VEUVE ROWLAND A UNE CURIEUSE CONCEPTION DU MÉNAGE OU BIEN, ELLE CACHAIT QUELQUE CHOSE QUE QUELQU'UN AVAIT UNE FURIEUSE ENVIE DE TROUVER.
QUI EST CE QUELQU'UN? QUEL EST CE QUELQUE CHOSE? ÇA NE FAIT JAMAIS QUE DEUX QUESTIONS DE PLUS QUI S'AJOUTENT AUX AUTRES...
ÉVIDEMMENT, CE N'EST PEUT-ÊTRE QU'UNE COÏNCIDENCE - CES PHOTOS ONT DES FORMATS STANDARD. MAIS TOUT DE MÊME...
?
Jake,
Je dois filer d'ici car
la Mangouste a retrouvé
ma trace. Je t'attendrai
là où va l'indien.
Kim
QU'EST-CE QUE C'EST QUE CE CHARABIA? ET QUI EST JAKE? MOI?...
ET CETTE CLÉ DE COFFRE-FORT?... NATIONAL TRUST BANK... C'ÉTAIT PEUT-ÊTRE ÇA QUE CHERCHAIENT CEUX QUI ONT FOUILLÉ LA MAISON...
MAIS MOI, C'EST AUTRE CHOSE QUE JE VEUX TROUVER: L'IDENTITÉ D'UN HOMME QUI A PERDU SON PASSÉ.
23

SI JE POUVAIS METTRE LA MAIN SUR DES LETTRES, DES DOCUMENTS PERSONNELS, DES PHOTOS, N'IMPORTE QUOI QUI PUISSE ME FOURNIR UN FIL CONDUCTEUR...
MAINS SUR LA TÊTE, SHELTON ! ET ON NE BOUGE PLUS !
ON SE CONNAIT ?
J'AVOUE QUE TON CULOT M'ÉPATE, FILS. JE SAVAIS QUE TU SERAIS FORCÉ DE REVENIR À EASTOWN UN JOUR OU L'AUTRE, MAIS JE NE M'ATTENDAIS PAS À CE QUE TU SOIS ASSEZ GONFLÉ POUR TE BALADER EN PLEINE VILLE COMME SI DE RIEN N'ÉTAIT. FOUILLE-LE, WAYNE.
NOUS, ON TE CONNAÎT, ET C'EST ÇA QUI COMPTE, PAS VRAI ? MAIS J'AI OUBLIÉ DE ME PRÉSENTER : LIEUTENANT HEMMINGS, 30 ANS DE BONS ET LOYAUX SERVICES À LA POLICE MUNICIPALE...
VU. VOUS M'ARRÊTEZ, C'EST ÇA ?
CE SERAIT UNE POSSIBILITÉ, BIEN SÛR... ÇA ME VAUDRAIT UNE MÉDAILLE ET MA PHOTO EN PREMIÈRE PAGE DU CANARD DE WAYNE. MAIS TU VOIS, FILS, UNE RETRAITE DE FLIC, ÇA NE PÈSE PAS BIEN LOURD. ALORS, J'AI COMME DANS L'IDÉE QUE TU POURRAIS M'AIDER À L'AMÉLIORER...
VOILÀ CE QUE JE TE PROPOSE : TU NOUS FILES LE POGNON ET NOUS, ON OUBLIE QU'ON T'A VU. QU'EST-CE QUE TU EN PENSES ?
MON PORTEFEUILLE EST DANS MA POCHE-REVOLVER, LIEUTENANT, MAIS JE VOUS PRÉVIENS, VOUS ALLEZ ÊTRE DÉÇU.
NE JOUE PAS À CE JEU-LÀ AVEC MOI, SHELTON... OÙ EST LE POGNON QUE TU AS TOUCHÉ POUR SOLEIL NOIR ?
??
24

VOUS ALLEZ RIRE, LIEUTENANT, MAIS J'IGNORE TOTALEMENT DE QUOI VOUS PARLEZ.
NON, FILS, JE NE VAIS PAS RIRE. C'EST MAUVAIS POUR MON ULCÈRE. JE NE VAIS PAS RIRE ET JE VAIS MÊME ESSAYER DE RESTER CALME...
TON DOSSIER EST ULTRA-SECRET, TU T'EN DOUTES. MAIS J'AI QUAND MÊME RÉUSSI À Y JETER UN COUP D'OEIL, ET J'AI COMPRIS QUE TU N'ÉTAIS PAS N'IMPORTE QUI, SHELTON. TU ES L'OCCASION QUE J'ATTENDAIS DEPUIS DES ANNÉES...
JE POURRAIS TE TABASSER JUSQU'À CE QUE TU PARLES, ÉVIDEMMENT. MAIS DANS TON DOSSIER, IL EST AUSSI ÉCRIT QUE TU ES UN VRAI DUR. ALORS, POUR PAS M'ABÎMER INUTILEMENT LES MAINS, JE PRÉFÈRE EN VENIR TOUT DE SUITE À L'ESSENTIEL...
TU AS EXACTEMENT 5 SECONDES POUR TE RAPPELER OÙ TU AS PLANQUÉ LE FRIC!
ÉCOUTEZ, LIEUTENANT, JE...
CINQ SECONDES, SHELTON! ET TOUT BÉNÉFICE POUR MOI : LE FRIC OU... UNE MÉDAILLE! UN... DEUX... TROIS...
...QUATRE... C...
ARRÊTEZ!
VOUS AVEZ GAGNÉ : L'ARGENT DOIT ÊTRE DANS UN COFFRE À LA NATIONAL TRUST.
EH BIEN! TU VOIS COMME TOUT DEVIENT SIMPLE AVEC UN PEU DE BONNE VOLONTÉ? LA NATIONAL TRUST, TU DISAIS...
W. VANCE
25

NAL TRUST
RAPPELLE-TOI QUE SI TU ME FORCES À TIRER, CE SERA EN SERVICE COMMANDÉ.
VOUS FERIEZ MIEUX DE RETIRER VOTRE MAIN DE VOTRE POCHE, LIEUTENANT. VOUS RESSEMBLEZ À UN MAUVAIS FLIC DE SÉRIE B.
M. SHELTON...
RAVI DE VOUS REVOIR, M. SHELTON. JE SUPPOSE QUE VOUS VENEZ POUR VOTRE COFFRE ?
HEU... OUI, BIEN SÛR. VOUS M'AVEZ RECONNU ?
JE ME FAIS UN DEVOIR DE NE JAMAIS OUBLIER UN CLIENT. MÊME SI, COMME VOUS, JE NE L'AI VU QU'UNE SEULE FOIS. CES MESSIEURS VOUS ACCOMPAGNENT ?
SI VOUS N'Y VOYEZ PAS D'INCONVÉNIENT ...
AUCUN. VEUILLEZ ME SUIVRE, JE VAIS VOUS FAIRE OUVRIR LA SALLE DES COFFRES.
VOUS ME RAPPELEZ LE NUMÉRO DE VOTRE COFFRE, M. SHELTON...
?!
NIB
26

HEU... LE 608.
LE 608. VOYONS...
VOILÀ, M. SHELTON. VOUS N'AVEZ PLUS QU'À ACTIONNER VOTRE CLÉ POUR OUVRIR.
APPELEZ-MOI QUAND VOUS AUREZ TERMINÉ. JE SERAI AVEC LE GARDIEN.
MERCI.
NTB
JE SUPPOSE QUE C'EST ÇA QUE VOUS VOULEZ...
OUVRE-LA TOI-MÊME, FILS. UN TYPE COMME TOI EST PARFAITEMENT CAPABLE D'AVOIR PIÉGÉ L'OUVERTURE.
À VOTRE GUISE, LIEUTENANT.
STOP! J'AI CHANGÉ D'AVIS!
KLIK KLIK
ÉCARTE-TOI ET DOS AU MUR, SHELTON. JE TROUVE QUE TU TE LAISSES FAIRE UN PEU TROP FACILEMENT. ÇA NE TE RESSEMBLE PAS...
TSS TSS... QUELLE MÉFIANCE!
C'EST GRÂCE À ÇA QUE JE SUIS TOUJOURS EN VIE, FILS. JE PARIERAIS MES CHAUSSETTES QUE TU AS PLANQUÉ UN FLINGUE LÀ-DEDANS. C'EST TELLEMENT CLASSIQUE QUE...
AAAAAH!
VLOUFF
27

AAAH... MES YEUX!
ESPÈCE DE...
PANG
AAAH!
MAIS... M.SHELTON!... QUE SE PASSE-T-IL!?...
UN PEU D'IMPRÉVU DANS NOS DEUX VIES, MON VIEUX! ENCORE MERCI POUR L'ACCUEIL...
WWIUUUUUUUUUUU
28

WIIUUUUU
STOP! ARRÊTEZ!
NOM DE!... L'ALARME A BLOQUÉ LA PORTE!
RENDEZ-VOUS! VOUS N'AVEZ AUCUNE CHANCE!
OUCH!
ON A TOUJOURS UNE CHANCE, MON VIEUX... DÉSOLÉ!
LES TOILETTES DU PERSONNEL, VITE?...
ÇA VOUS PREND DANS LES MOMENTS LES PLUS INATTENDUS, PAS VRAI?
DEUXIÈME À DROITE DANS LE COULOIR, LÀ-BAS...
MERCI.
29

TOUTES LES BANQUES ONT LEUR POINT FAIBLE... J'ESPÈRE QUE CELLE-CI NE FERA PAS EXCEPTION...
DANGER
GAGNÉ !
QU'EST-CE QUE C'EST QUE TOUT CE RAFFUT ?... ENCORE UN HOLD-UP ?
NON, CE SONT LES INDIENS QUI ATTAQUENT LA VILLE.
LES INDIENS !?....
MAIS RASSUREZ-VOUS: JE VAIS CHERCHER LA CAVALERIE... COURAGE, TENEZ BON !
OUF !
TAXI !
PIOUUU... QUELLE ÉQUIPÉE, MES ENFANTS ! ON DIRAIT QUE J'AI FAIT ÇA TOUTE MA VIE.
30

C'EST LE MOMENT DE JETER UN COUP D'OEIL AU CONTENU DE CETTE FAMEUSE MALLETTE...
BONTÉ DIVINE !
QUELQUE CHOSE QUI NE VA PAS ?
NON, NON, HEU... ÇA VA. DÉPOSEZ-MOI ICI, JE CONTINUERAI À PIED.
IL Y EN A POUR UNE VÉRITABLE FORTUNE !... QUE PEUT BIEN FAIRE UN HOMME QUI VAILLE UN SALAIRE PAREIL ?
IL S'AGIT DE QUELQUE CHOSE AYANT UN RAPPORT AVEC UN SOLEIL NOIR. ET QUI DEVAIT ÊTRE ILLÉGAL, PUISQUE LA POLICE ME RECHERCHE. SANS PARLER D'UN "DOSSIER ULTRA-SECRET" ME CONCERNANT...
30 EXCITING FOX GAMES AVAILABLE NOW!
VIDEOFOX
STRATEGY SERIES Nº17
FAMOUS
LE PROBLÈME, C'EST QU'IL N'Y A PAS QUE LES FLICS QUI ME COURENT APRÈS. LES AUTRES, CE N'EST NI L'ARGENT, NI MON ARRESTATION QU'ILS VEULENT : C'EST MA PEAU, SANS SOMMATION. POURQUOI ? POUR ME FAIRE TAIRE, ÉVIDEMMENT. MAIS TAIRE QUOI ?... AJOUTONS À CELA LA MANGOUSTE, UN INDIEN ET KIM ROWLAND, ET LE PUZZLE SERA COMPLET.
DANS TOUT CET IMBROGLIO, IL N'Y A QU'UNE SEULE CHOSE CERTAINE, MON PAUVRE VIEUX : AVANT DE PERDRE LA MÉMOIRE, TU N'ÉTAIS PAS UN SIMPLE PETIT EMPLOYÉ DE MINISTÈRE COMME TOUT LE MONDE !
31

LA SEULE PERSONNE QUI PUISSE M'AIDER À COMPRENDRE, C'EST KIM ROWLAND. DONC, OBJECTIF N°1 : LA DÉNICHER "LÀ OÙ VA L'INDIEN"... ÇA S'ANNONCE SIMPLE...

MAIS DE TOUTE MANIÈRE, IL EST GRAND TEMPS QUE LE DÉNOMMÉ SHELTON PRENNE UN PEU DE RECUL PAR RAPPORT À CE PATELIN...
KLIK

??
DOUCEMENT, LES GARS... CE COUP-CI, PAS QUESTION DE LE RATER !

ATTENTION... TOUS ENSEMBLE...
PAW
BANG
PAW
BANG
PAW
PAW
MAIS... Y A PERSONNE !?!...
LÀ !... IL FILE PAR LES TOITS !
ALORS, QU'EST-CE QUE TU ATTENDS POUR LUI COURIR APRÈS, BON SANG !?
SLIM ET TOI, ALLEZ SUR LE TOIT PAR L'ESCALIER INTÉRIEUR. NOUS, ON REDESCEND POUR BOUCLER LA RUE...
ET FAITES GAFFE... JE L'AI VU À L'OEUVRE, CE MEC : C'EST UN PRO !
32

JERRY, FAIS PAS LE !...
PAW
M !... SLIM !
IL EST LÀ-BAS, CRÉTIN !
PAW PAW BANG
PIOUUUUUU...
PIOUUUUU...
TCHAK
UN BON POINT POUR MOI : D'ICI, JE LES ARROSE COMME AU TIR À PIPES...
?!!
33

J'AI DÛ PERDRE LE PISTOLET EN SAUTANT... ET LES DEUX AUTRES QUI SONT RESTÉS DANS LA VALISE... TU PARLES D'UN BON POINT!
CONSOLIDATED DESKS OFFICE EQUIPMENT CO.
ENFIN... L'ESSENTIEL EST QUE JE M'EN SORTE UNE FOIS DE PL...
COUCOU!
CHACUN SON TOUR, PAUVRE CAVE!
D'ACCORD, QUINZE PARTOUT. MAIS JE VOUDRAIS AU MOINS...
DÉSOLÉ, MON POTE, MAIS ON N'A MÊME PLUS LE TEMPS POUR LA PRIÈRE D'USAGE...
BANG
PAW PAW
RELAX, XIII... NOUS SOMMES DE L'AUTRE CAMP!
???
34

PFFFT... QUEL QUE SOIT CET AUTRE CAMP, MERCI. JE...
MAIS... ARGHH...
IL N'EN A PAS, COLONEL.
PARFAIT. FILONS D'ICI.
ÇA RIME À QUOI, CE CINÉMA?
LES DEUX SEULS QUE NOUS AYONS RÉUSSI À COINCER JUSQU'À PRÉSENT, IX ET XV, AVAIENT CHACUN UNE PASTILLE DE CYANURE DANS UNE DENT CREUSE. JE NE PRENDS PLUS DE RISQUE, XIII.
VOUS M'EN DIREZ TANT...
CLOSED AREA
WAYNE! HEMMINGS!
TU PEUX REMERCIER CES DEUX ORDURES... C'EST GRÂCE À LEUR DÉPOSITION... HUM... SPONTANÉE QUE NOUS SOMMES ARRIVÉS À TEMPS.
ET QUI EST "NOUS", SI JE PEUX SAVOIR?
TU PEUX SAVOIR...
JE SUIS LE COLONEL AMOS. DEPUIS TROIS MOIS, MON SERVICE A REÇU POUR MISSION EXCLUSIVE L'ENQUÊTE SUR SOLEIL NOIR! AUTANT DIRE QUE POUR TOI, C'EST LA FIN DE LA ROUTE!...
35

LOANS
LOAN RANGER
Gee!... I love you and CARIBOO!
Gee!... I love you and CARIBOO!
CONNORS, TU METS HEMMINGS ET WAYNE AU FRIGO. ON LES REPASSERA AUX MUNICIPAUX PLUS TARD.
À VOS ORDRES, COLONEL.
OÙ SOMMES-NOUS?
DANS UNE DE NOS RÉSIDENCES... TU CONSTATERAS QUE MON SERVICE DISPOSE DE MOYENS À LA MESURE DU GIBIER QU'IL TRAQUE.
INSTALLE-TOI CONFORTABLEMENT, CAR JE CROIS QUE TU DOIS AVOIR PAS MAL DE CHOSES À ME RACONTER...
EN COMMENÇANT PAR L'UN DES POINTS QUI NOUS PRÉOCCUPENT SÉRIEUSEMENT DEPUIS LE DÉBUT DE NOTRE ENQUÊTE : QUELLE EST TA VÉRITABLE IDENTITÉ?
?!?
36

VOUS ME CROIREZ DIFFICILEMENT, COLONEL, MAIS JE ME POSE EXACTEMENT LA MÊME QUESTION. ET J'ESPÉRAIS SINCÈREMENT QUE VOUS AURIEZ LA RÉPONSE...
PAF
NOTRE ENTRETIEN COMMENCE MAL, XIII.
BON, BON, D'ACCORD... JAKE SHELTON, ÇA VOUS IRAIT?
PAF
TES NOMS D'EMPRUNT NE M'INTÉRESSENT PAS, JE CROIS LES CONNAÎTRE TOUS. CE QUE J'IGNORE, PAR CONTRE, OUTRE TON VRAI NOM, C'EST D'OÙ TU VIENS ET SURTOUT QUI T'A PAYÉ POUR SOLEIL NOIR.
ALORS, NOUS SOMMES MAL PARTIS, COLONEL.
J'AI ÉTÉ BLESSÉ À LA TÊTE IL Y A DEUX MOIS. J'IGNORE PAR QUI, PARCE QUE DEPUIS LORS, J'AI COMPLÈTEMENT PERDU LA MÉMOIRE. JE SUIS VENU À EASTOWN POUR TENTER MOI-MÊME DE DÉCOUVRIR QUI JE SUIS...
ESPÈCE DE...
ARRÊTE, DAVE!
IL VEUT JOUER À L'IMBÉCILE? POURQUOI PAS. NOUS NE SOMMES PLUS À QUELQUES HEURES PRÈS. ET ON VA LA LUI RENDRE, SA MÉMOIRE. CHESTER!... LE PROJECTEUR, S'IL TE PLAÎT...
W. VANCE
LE FILM QUE TU VAS VOIR A ÉTÉ TOURNÉ IL Y A EXACTEMENT 3 MOIS ET 17 JOURS DANS UNE GRANDE VILLE DU SUD. PAR UN AMATEUR, DEVENU DEPUIS MILLIONNAIRE EN LE REVENDANT AUX CHAÎNES DE TÉLÉVISION DU MONDE ENTIER.
37

L'HOMME ASSIS DANS CETTE VOITURE S'APPELAIT SHERIDAN. WILLIAM B. SHERIDAN, 42e PRÉSIDENT DE NOTRE PAYS.
BIEN ENTENDU, SON VISAGE NE TE RAPPELLE RIEN?
RIEN.
SOIT. LA SCÈNE SE PASSE À 10 H 30 DU MATIN. REGARDE BIEN...
LE FILM S'ARRÊTE LÀ, L'OPÉRATEUR AYANT PROBABLEMENT ÉTÉ BOUSCULÉ ET PIÉTINÉ PAR LA FOULE QUI L'ENTOURAIT.
LE PRÉSIDENT EST MORT QUELQUES MINUTES PLUS TARD PENDANT SON TRANSFERT À L'HÔPITAL. UN JOURNALISTE À LA VERVE ROMANTIQUE A APPELÉ CETTE JOURNÉE LE JOUR DU SOLEIL NOIR! LE NOM EST RESTÉ.
ET... ET VOUS PRÉTENDEZ QUE JE SERAIS MÊLÉ À ÇA!?
W. VANCE
38

JE NE PRÉTENDS PAS, XIII, JE PROUVE ! CHESTER... ON REPREND LA PROJECTION DEPUIS LE DÉBUT.
STOP! AGRANDISSEMENT MAXIMUM !
?
!?
MAIS... C'EST MOI, ÇA !...
JE NE TE LE FAIS PAS DIRE... LUMIÈRE...
LE FUSIL, UN GARRAND MK9 À VISEUR BINOCULAIRE, A ÉTÉ RETROUVÉ SUR PLACE. ENCORE CHAUD. ET LES TROIS BALLES QUI MANQUAIENT DANS LE CHARGEUR ÉTAIENT CELLES QUI ONT ÉTÉ EXTRAITES DE LA POITRINE DU PRÉSIDENT.
MAIS ALORS... VOUS VOULEZ DIRE QUE C'EST MOI QUI... QUI...
QUI A ASSASSINÉ LE PRÉSIDENT. BIEN SÛR QUE C'EST TOI...
...DEVENANT AINSI LE MEURTRIER LE PLUS HAÏ ET LE PLUS RECHERCHÉ DE TOUTE LA PLANÈTE !!
OH, MON DIEU !...
39

JE... JE NE PARVIENS PAS À Y CROIRE. LE MÉDECIN, QUI M'A SOIGNÉ, M'A AFFIRMÉ QUE MES RÉFLEXES ET MON INSTINCT ÉTAIENT RESTÉS INTACTS... ET JE NE ME SENS PAS L'ÂME D'UN MEURTRIER.
ATTENDRISSANT. ET ÇA ?... TU L'AS GAGNÉ AU POKER?
ET ÇA !?
ÇA?... JE NE COMPRENDS PAS...
XIII
PLUS QUE TOUT LE RESTE, CE TATOUAGE T'ACCUSE. LES DEUX AUTRES AVAIENT LE MÊME. TU ES L'UN DES TUEURS LES PLUS INTELLIGENTS ET LES PLUS DANGEREUX QUE JE CONNAISSE, XIII, MAIS TU N'AS ÉTÉ QUE LE BRAS QUI EXÉCUTE...
C'EST LA TÊTE DU COMPLOT QUE JE VEUX. L'HOMME QUI A ORGANISÉ CET ODIEUX ASSASSINAT ET DONT TU ES SANS DOUTE LA SEULE PERSONNE AU MONDE À POUVOIR PROUVER LA CULPABILITÉ.
DANS CE CAS, VOUS ME VOYEZ DÉSOLÉ, COLONEL AMOS...
JE NE PEUX, NI VOUS AIDER NI ME DÉFENDRE. MAIS SI J'AI RÉELLEMENT COMMIS CE CRIME, JE PAIERAI. IL NE VOUS RESTE PLUS QU'À ME LIVRER À LA JUSTICE.
JE CROIS QUE TU N'AS PAS TRÈS BIEN SAISI LA SITUATION...
JE NE SUIS NI UN FLIC NI UN JUGE. LA SEULE MISSION QUE J'AI REÇUE, À PRÉSENT QUE JE T'AI RETROUVÉ, EST DE TE FAIRE PARLER, XIII. PAR N'IMPORTE QUEL MOYEN!!
MAIS C'EST SANS ISSUE!
CELA DÉPEND DE TOI. NOUS VERRONS BIEN SI TU SERAS ENCORE AMNÉSIQUE DEMAIN MATIN. EMMENEZ-LE!
W. VANCE
40

HÉ ! ATTENTION !
FAIS PAS L'IDIOT !...
NOUS SOMMES AU 3e ET...
LE SALAUD, ON N'Y VOIT RIEN ! DAVE, VA LE RAMASSER ! CHESTER, PRÉVIENS L'ANTENNE MÉDICALE ! POURVU QUE...
BON SANG DE BON SANG DE BONSOIR !... ÇA OU LA PILULE DE CYANURE, ÇA NE FERA PAS BEAUCOUP DE DIFFÉRENCE...
MAIS... LA VACHE !
QUOI ?!?
DISPARU, COLONEL ! JE NE SAIS PAS COMMENT IL A RÉUSSI À S'EN TIRER, MAIS IL NOUS A UNE FOIS DE PLUS FILÉ ENTRE LES DOIGTS !
41

MARTHA...
ALAN!
POURQUOI... ES-TU REVENU ?...
MARTHA, J'AI APPRIS UNE CHOSE... TERRIBLE. IL FALLAIT...
C'EST TROP TARD, ALAN. BEAUCOUP TROP TARD...
MAIS MIEUX VAUT TARD QUE JAMAIS, N'EST-CE PAS ? J'ÉTAIS POURTANT CERTAIN DE T'AVOIR TUÉ, IL Y A DEUX MOIS. TU AS LA VIE SACRÉMENT DURE.
LA MANGOUSTE !?...
42

COMME SI TU NE ME RECONNAISSAIS PAS!... IL EST VRAI QU'IL PARAÎT QUE TU AS PERDU LA MÉMOIRE. EN TOUT CAS, C'EST CE QUE LE BON DOCTEUR PRÉTEND.
DE TOUTE MANIÈRE, ÇA N'A PAS BEAUCOUP D'IMPORTANCE. CHARLIE...
NON!
BANG
MARTHA!
NOM DE!...
ATTENTION, IL VA FILER!
PAW
BANG
PAW
TCHAK
TCHAK
COUREZ, BANDE D'IDIOTS! JE VEUX SA PEAU!
43

AAAAAAHHH...
CHARLIE!
ASSASSINS, JE VOUS HAIS!
NON... NON...
BANG BANG BANG
VRROMM
NOUS TE RETROUVERONS, XIII. OÙ QUE TU TE CACHES DANS LE MONDE, NOUS TE RETROUVERONS TOUJOURS!
VANCE
44

MARTHA!...
JE VOULAIS... VOIR LE CIEL... UNE DERNIÈRE FOIS...
JE TROUVERAI UN MÉDECIN, MARTHA. VOUS ALLEZ VOUS EN SORTIR.
TROP TARD, ALAN. MAIS ÇA... M'EST ÉGAL. MA VIE... INUTILE. L'ALCOOL... LE RESTE... TOUT GÂCHÉ...
CES TYPES... PRÉTENDAIENT QUE TU ÉTAIS... UN ASSASSIN... NE DIS RIEN... C'EST PAS VRAI... PAS TOI... EMBRASSE-MOI, ALAN... S'IL TE PLAÎT...
MERCI... TU SAIS, JE CROIS QUE... J'ÉTAIS AMOUREUSE... DE TOI. C'EST... IDIOT, HEIN?... UNE VIEILLE... COMME... COMME...
MARTHA!...
W. VANCE
45

PRINTED IN BELGIUM BY proost INTERNATIONAL BOOK PRODUCTION